mi violento despertar sexual

Vera

MI VIOLENTO DESPERTAR SEXUAL

© 2005 TRIALTEA USA LLC

ISBN 0-9741-4827-X

Diseño y Realización:

TRIALTEA USA
GRUPO ADI

LIBRO AMIGO / P.O.Box 454402
Miami, FL 33245-4402
Tel. [305] 856-4193
trialteausa@grupoadi.com
www.trialtea.com

Impreso en Estados Unidos

Introducción

INTRODUCCIÓN

Vera

Mi nombre es Andrea Scott* y soy psicotera-
peuta sexual. A lo largo de toda mi carrera he tenido
infinidad de consultas y a pesar de que siempre se
trabaja en forma personalizada, me ha despertado
curiosidad el notar que gran parte de los problemas
en el ámbito erótico y sexual se basan en los prejui-
cios que todos, en mayor o en menor medida, tene-
mos respecto a estos temas. La forma en que hombres y mujeres perciben y disfrutan del sexo son tan
diferentes como su género, pero los preconceptos y
los tapujos suelen ser comunes a ambos ya que se
comparten en la sociedad.

Aunque no me lo propuse de un modo cons-
ciente, mi trabajo se fue especializando en la con-

---

* **Andrea Scott** es un seudónimo que protege la identidad de la
especialista y de sus pacientes. Por tratarse de historias reales, los nom-
bres de los protagonistas también fueron cambiados a fin de no tener
que realizar ediciones que alteren la autenticidad de los relatos.

ducta femenina y esto me permitió descubrir la infinidad de matices que se mantienen en la intimidad aún en pleno siglo XXI. La revolución sexual de los ´60 y el feminismo apenas derribaron algunos de los tapujos, pero muchas dudas e inseguridades todavía son vividas quizá con más pudor, dado que las mujeres actuales ocupan espacios más decisivos en la sociedad y sienten que la sola idea de plantear sus incertidumbres sexuales las vuelve vulnerables.

En terapia he notado cómo muchas mujeres mejoraron su vida sexual y lograron relaciones más plenas cuando se atrevieron a enfrentar sus propios tabúes. Curiosamente siempre era necesario contar con una experiencia previa: «lo que le pasó a una amiga», «cómo lo hizo mi compañera de oficina», etc. para encontrar ese disparador que las animara a hacer realidad sus propios deseos y fantasías.

Con el consentimiento de mis pacientes, me dediqué a recopilar sus experiencias. La tarea resultó aún más interesante de lo que había imaginado, ya que al descubrir las más íntimas vivencias de otros, con el exquisito detalle de quien ha disfrutado de momentos de extremo placer, noté cómo mi propia vida sexual se fue haciendo más intensa y placentera.

Estoy segura de que los relatos de *Confesiones Íntimas* pueden cambiar la vida de muchos lectores.

Vera

El primer relato es la experiencia de Vera, una joven arquitecta que aún con 24 años conservaba su virginidad con una idea bastante equivocada de lo que era el sexo. Concentrada en su carrera apenas dejó espacio para la pasión. Su impetuoso debut sexual desató una profunda sensualidad que ella misma desconocía y le permitió darse un espacio como mujer, sin perder su preciado lugar profesional. Seleccioné su historia porque es común a muchas mujeres que esconden una inseguridad natural, propia de la inexperiencia, disfrazándola de falsa superación. Esta actitud es bastante frecuente entre las profesionales que buscan proyectar una imagen de permanente seguridad, algo que por supuesto no es humano y tampoco les brinda felicidad.

Hoy Vera es una mujer distinta, que se conoce a fondo y disfruta de una sexualidad a la medida de sus íntimos deseos. Ella fue quien me animó a iniciar esta colección, con la firme convicción de que su experiencia sería útil para que otros puedan vivir a pleno sus fantasías.

Esta es su historia, estas son sus palabras...

¿ quién era yo?

¿Quién era yo?

CAPÍTULO 1

Vera

mi violento despertar sexual

Me gusta mirarme en el espejo. Desde niña suelo detenerme un buen rato frente a ese cristal mágico que me permite observarme como si fuera otra. Compartir la mirada que los demás tienen de mí. En mi niñez, mi abuela me reprendía al descubrirme en mis juegos, disfrazándome con vestidos de mis tías, pasando largos momentos frente al espejo. Es que el espejo, para las niñas, es como la intuición de la mirada de un primer hombre. O eso creía mi abuela, que me reprendía cuando me descubría mirándome y enojada me decía que había un demonio del otro lado del cristal.

A pesar de los miedos de mi abuela, crecí deseando la mirada de los hombres. Solía disfrutar de la manera en que los muchachos contemplaban mis piernas adolescentes pero ya bien formadas en los ardientes veranos del vecindario. La voz de mi abuela en mi mente fue durante mucho tiempo una buena excusa para contenerme. Creo que desde niña, yo tenía fantasías tan desaforadas que me provocaban un gran miedo a desbordarme, a perder el control. Por eso elegí destinar mis energías a llevar adelante una carrera, convertirme en una buena profesional, evitar el descontrol, el desborde que podrían provocarme los hombres.

Tracé con firmeza mis propósitos y me gradué con honores como arquitecta en la Universidad de la Florida. Tanto había logrado controlar mis impulsos que fui adquiriendo la certeza de que las relaciones de pareja, por más que fueran breves u ocasionales, hacían que las mujeres postergásemos nuestra realización como personas. Pensaba que estar enamorada, ser atravesada por una tormenta pasional, representaba apenas una pérdida de tiempo, un obstáculo que, para ciertas mujeres, puede tornarse insalvable.

Hace unos meses cumplí los veinticuatro años. Y hace un mes que Bob, un muchacho con el que había decidido hacer una excepción y con quien empezábamos a tener algo parecido a una relación, se fue con otra mujer. Reconozco que no fue sencillo para Bob estar conmigo. Yo prefería evitar los encuentros sexuales. De hecho, nunca llegamos a concretarlos. Pese a que sus caricias me excitaban muchísimo, siempre sentía el miedo a no poder detenerme una vez que empezara. Así que prefería esperar, interrumpir esos encuentros.

Sí. Hasta hace poco tiempo yo era virgen.

No sé qué me ha estado pasando últimamente. De pronto, una tempestad de sensaciones y acontecimientos vertiginosos han cambiado el rumbo de mi vida, que yo creía haber trazado con mano tan firme.

Aclaro que soy una mujer bonita, al decir de varios. Acostumbro a dedicar un tiempo diario al cuidado de mi cuerpo. Debo admitir que muchas veces recurrí a la solitaria actividad de masturbarme en los momentos en los que el deseo amenazaba con desbordarse, como manera de poner los instintos en caja y seguir avanzando de acuerdo al plan trazado.

Pero de pronto apareció Mark en mi vida y un dique interno se rompió. En pocos días me vi enredada en una andanada de acontecimientos que se sucedieron velozmente. Quizás muchas mujeres no hayan experimentado en su vida entera ni la mitad de lo que me pasó a mí en estos días. Pero no me arrepiento...

La noche en la que empezó todo, era verano y hacía calor. Volvía ya tarde de la Compañía en la que trabajo deseosa de darme un baño, dispuesta a arrojarme en mi cama a descansar.

Cuando llegué al edificio en donde vivo, en la Avenida Collins, tuve un encuentro que distrajo mis propósitos y despertó mi curiosidad, intranquilizándome. Mientras estaba aguardando el ascensor, un apuesto hombre ingresó al hall.

Yo ya lo había visto. Ese hombre iba a visitar a Sharon, una artista plástica que vive en el apartamento contiguo al mío. Se detuvo a mi lado y saludó con parquedad. Llegó el ascensor y lo tomamos juntos.

Este encuentro despertó mi inquietud. Este hombre elegante y de aspecto formal había estado visitando a Sharon los últimos días. Yo lo sabía porque los había espiado a través del ventanal de mi living.

Ahora estaba al lado mío, sujetando un maletín de cuero negro. Emanaba un perfume varonil que inundó rápidamente el ascensor con su fragancia. Los dos mirábamos la puerta metálica, cerrada ante nosotros, sin siquiera rozarnos. Por un instante sus ojos grises se clavaron en mí y tuve que reprimir un estremecimiento.

Mientras llegábamos al piso recordé las últimas noches. Intranquila, comprendí que esta visita iba a volver a trastornar mis horas.

La verdad es que desde que este hombre visitaba a mi vecina, un extraño insomnio se había apoderado de mis noches. La música en la casa de junto me despertaba de madrugada, impregnando mi apartamento con un clima sensual e íntimo. Nunca fui una mirona pero, sin poder evitarlo, me quedaba observando desde detrás de las cortinas. Era como estar mirando una obra representada sólo para mí.

Me zambullí en mi apartamento sin siquiera despedirme. El perfume de ese hombre parecía haber entrado conmigo. Otra noche en la que no iba a poder dormir...

Me di un baño rápido y me serví un trago. No tenía hambre. Fui hasta mi dormitorio sin encender la luz y me dispuse a observar todo lo que pasara, desde el principio. Tuve el impulso de buscar la ropa que me había quitado y la acerqué a mi nariz. El perfume de ese hombre aún estaba en mi ropa. Me quedé desnuda, sentada otra noche detrás de las cortinas de mi habitación.

Sharon y su amigo estaban sentados en

el sillón. En un momento, vi que él se puso de pie y fue a la cocina. Sharon entonces hizo algo inesperado. Empezó a desvestirse. Primero se quitó los zapatos, las medias y luego la ajustada falda que traía puesta.

Al volver, el hombre llevaba una botella y dos copas de cristal. Dejó su carga en la alfombra, delante del sillón, y se sentó al lado de Sharon, mirándola sin decir nada. Ella empezó a desabotonarse la blusa, mientras ambos se miraban a los ojos. Sharon buscó el control remoto del equipo. Empezó a sonar la música.

Yo me sentía desfallecer. Quería sustraerme, abandonar mi cuestionable actitud de observar desde mi ventana. Se los veía atractivos y bellos. Estaban a pocos metros de mí, desvistiéndose, reconcentrados en mirarse. Y yo, sola, desnuda en mi habitación, sintiéndome sola y sorprendida mientras acariciaba mi sexo, cada vez más húmedo.

Sharon estaba ahora sólo con su ropa interior, de un color oscuro que resaltaba una piel clarísima. El hombre empezó a acariciar su brassier con las dos manos. Sus caras se fueron acercando lentamente hasta que sus bocas se encontraron en un beso largo y profundo. Yo estaba sedienta y ansiosa. Nunca había visto escenas tan explícitas entre dos personas. Ahora él le desabrochaba el brassier. Sharon se dejaba hacer, complacida.

Él liberó los pechos redondos, de pezones erectos y rosados. Comenzó a acariciarlos, mientras ella le daba breves besos por el cuello. Luego la reclinó en el sillón, quedándose sobre ella. Primero la besó en la frente, luego en la punta de la nariz, bajó a sus labios, a su cuello. Y siguió descendiendo...

Empezó a besar sus pechos y a lamer sus pezones. Era un hombre fuerte y suave a la vez, sus gestos eran sutiles pero decididos. Sharon acariciaba su espalda y se arqueaba de placer ante las caricias que recibía. Lo instó a quitarse la camisa, luego lo ayudó con el pantalón. Yo podía percibir el placer que los embargaba. Era una escena bella y muy apasionada. Entre besos y caricias fueron quedándose desnudos por completo, él encima de ella, moviéndose, besándose y haciéndose caricias que fueron volviéndose más rápidas y enérgicas, las piernas enredadas, unidos sobre el blanco sofá.

Tampoco pudieron llegar, como las otras veces, hasta el dormitorio. Tal era la potencia del deseo que los apuraba. Se besaron por todo el cuerpo, cambiando de posición varias veces, buscando armonizar su ansia de placer con los movimientos

cada vez más apasionados. La música cubría la escena. Deseaba poder oír sus jadeos, lo que se decían.
La libertad con que los dedos y la lengua de uno se
metían en el otro parecía hacerlos felices.

De pronto Sharon cambió de posición:
soltándose del abrazo se dio vuelta, buscando con la
boca el miembro de su hombre. Con un movimiento suave y veloz también logró que la boca de él que-
dase justo debajo de su sexo. Empezaron a chuparse,
aferrándose mutuamente de las piernas, moviéndose primero con lentitud –imaginé que sus lenguas se
daban calor, sentían la humedad, reconocían en dónde daban placer– y luego, como si ya hubiesen logrado encontrar la manera, empezaban a aumentar
el ritmo de sus movimientos. Llegaron a un orgasmo potente y compartido mientras él abría, desde
abajo, las hermosas nalgas de Sharon y metía allí sus

dedos haciendo que entraran y salieran, sin dejar por un minuto de besarla. Esto hizo que Sharon se estremeciera de placer y prolongara su orgasmo, mientras retribuía con el movimiento de su boca y sus propias manos. El orgasmo fue largo y agotador. Les costó desanudarse luego del clímax, tan abrazados, adheridos, empapados con sus humedades.

mi encuentro con Mark

Mi encuentro con Mark

CAPÍTULO 2

Vera

*A*manecí intranquila y confusa. Es fácil de imaginar el estado en que pasé el resto de la noche. Di vueltas en la cama, que de pronto parecía enorme para mi agobiante soledad. El calor de mi cuerpo no se apagó con la ducha que volví a darme. Así fui a trabajar el día siguiente.

Tengo una amplia y luminosa oficina en el décimo piso de la Compañía, un estudio de arquitectos en el Downtown de Miami, con espacio suficiente para mi tablero de dibujo, la mesa de maquetas, un escritorio con la computadora.

Disfruto mucho de ese espacio. Con el tiempo lo he ido decorando a mi gusto. Puedo encerrarme allí y trabajar en mis planos desde muy temprano a la mañana hasta la última hora de la tarde que es cuando voy al gimnasio a hacer mis ejercicios o a correr al Parque. Pero el destino se había empeñado en torcer mis planes. Apenas entré a mi oficina recibí una llamada de la asistente del Líder de Proyectos, Peter Thompson, quien deseaba presentarme al nuevo arquitecto de la empresa, que había llegado de Chicago unos días antes. Me dirigí al despacho de mi jefe, fastidiada. Tenía mucho por hacer y las relaciones públicas no son mi fuerte.

Al abrir la puerta, Peter me estaba esperando con el nuevo arquitecto, quien estaba de espaldas a la entrada. Me dirigí hacia ellos tratando de componer una sonrisa.

Grande fue mi sorpresa cuando me acerqué y el nuevo arquitecto se dio la vuelta. Ante mis ojos estaba el mismo hombre al que anoche había espiado mientras le hacía el amor a mi vecina. Mi jefe nos presentó. "Mark Jennings, Vera Fischer". Él se puso de pie, extendiendo su mano para saludarme. Vestía el mismo traje que le había visto ayer. Tomó mi mano en un saludo decidido y correcto. Tuve que esforzarme en disimular mi sorpresa. Su apretón de manos duró un segundo más. O al menos eso creí sentir.

Luego de cambiar unas palabras formales, mi jefe me explicó que íbamos a trabajar juntos, Mark y yo, en algunos proyectos. Básicamente, la idea era que ese hombre iba a supervisar mis planos.

No pude escuchar el resto. Me sentía turbada y no sabía bien el motivo. No alcanzaba a detectar si era una reacción pudorosa ante un hombre a quien yo había invadido en su intimidad. O si era otra cosa.

Me fui lo más rápido que pude a mi estudio en busca de refugio. Que Mark no hubiese mencionado que nos conocíamos agigantó mi inquietud. Noté que la puerta de mi oficina estaba entreabierta. Me extrañó, creía haberla dejado cerrada antes, al salir.

Al entrar, vi que estaba Alfredo, un ingeniero puertorriqueño que trabaja en otro equipo. Estaba sentado cómodamente en mi silla, frente a los planos. Me saludó con un desparpajo que le era característico.

—¿Qué haces tú aquí? —le dije mientras abría la puerta invitándolo a retirarse.

Alfredo se me acercó con una sonrisa en sus finos labios, con ese andar sensual tan típico de los latinos. Ignoró mi gesto y me dio un suave beso en la mejilla.

—Sólo quiero invitarte a tomar una copa a la salida para conversar sobre nuestros proyectos —me dijo.

Lo increíble es lo que sucedió. Porque mientras hablaba con tanta corrección y formalidad, Alfredo se inclinó y empezó a acariciar con audacia una de mis piernas, desde la rodilla hasta el muslo. Subió con un dedo más allá de lo que mostraba mi falda.

Pero lo peor, lo sorprendente, es que no reaccioné ante semejante atrevimiento. Me quedé inmóvil, paralizada de sorpresa ante la actitud de mi compañero. Yo ya hacía dos años que trabajaba en la Compañía y nadie se había atrevido a acercárseme. Supe por una amiga que había varios hombres que me deseaban. También supe por ella que se corría la voz de que yo era inaccesible, fría y calculadora, que sólo pensaba en mi trabajo y en el dinero. Se me ocurría que eso era bueno para mí. Pero ahora estaba en la puerta de mi propia oficina, con un hombre apuesto y sensual, que me había tomado por sorpresa, acariciándome como nadie se había atrevido...

–Nos encontramos a la salida, a las siete –sentenció Alfredo.

Y no tuve tiempo a reaccionar. Al cerrar la puerta de mi oficina, tuve el insólito gesto de recorrer con mis propios dedos el largo camino que hizo Alfredo por mi rodilla hasta mi muslo. Seguí hasta más arriba. Busqué con mis dedos por dentro de mis panties. Estaba húmeda y tibia.

Algo estaba pasando dentro de mí, nuevo y diferente. Reprimí mis sentimientos y traté de concentrarme en mi trabajo. Ignoraba que desde esa noche todas mis convicciones iban a quedar hechas trizas para siempre.

la tormenta perfecta

La tormenta perfecta

CAPÍTULO 3

Vera

*A*lfredo decidió esperarme en su auto. Me demoré un rato frente al espejo en el baño de la oficina, acomodé mi pelo, me puse perfume. Sentía una rara mezcla de cansancio y excitación: Mark, las imágenes de la noche anterior, la caricia de Alfredo, su invitación.

«Okey» —me dije— «Algo en mí está empezando a irse de su cauce, estoy perdiendo el control de mis actos. Veamos qué pasa». Creo que Alfredo leyó algo en mis ojos, apenas subí a su auto. Demoró en arrancar y me clavó la vista.

—Oye, Vera —me dijo—, tengo la sensación de que quieres decirme algo y no sabes cómo. Puedes confiar en mí...

—La verdad es que no sé cómo acepté esta salida —le dije luego de pensar unos instantes.

–Tómalo con calma. Quizás es sólo que *deseabas* hacerlo. Como yo te deseo a ti.

Empezó a besarme, al principio suavemente y luego con una creciente intensidad. «¡Caray, las cosas van rápido!» –pensé.

Alfredo metía su lengua en mi boca e intentaba abrazarme. Sus besos me gustaban. Por un instante, la imagen de Mark se apareció en mi memoria. Alfredo trató, mientras tanto, de bajar una de sus manos hasta mi escote.

Sin dejar de besarlo tomé su mano. Más que un forcejeo fue un juego. Empecé a sentirme húmeda, transpirada, atraída. No deseaba desprenderme de su boca. Él, generoso y experto, se prestaba. Sentía su cálida respiración en mi rostro, el perfume de su piel. Mientras tanto, nuestras manos se empujaban suavemente. Él trataba de llegar hasta mi cuerpo, y yo luchaba excitada por evitarlo. De pronto se separó de mi boca. Me costó abrir los ojos y mirar los suyos, tan oscuros.

—Ya veo —dijo—. Eres de las que quieren tener el control.

Entonces fue él quien tomó mi mano. Imprevistamente la puso sobre su entrepierna. y buscó nuevamente mi boca. Si bien había besado a varios, era la primera vez que tocaba el miembro de un hombre. La tela de su pantalón definía ese bulto, que emanaba un suave y atrayente calor.

—Aquí está, Vera. Tócame tú a mí, acaríciame, si eso es lo que más te gusta.

Siguió besándome en el cuello y la boca. Ahora su respiración era cada vez más agitada. Me gustó tocarlo. Sentí que Alfredo, además de desearme, me entendía. Eso me instaba a seguir, a dejarme llevar. Por momentos, sentía que avasallaba y se imponía. Más luego, inmediatamente, me dejaba avanzar. La excitación que sentía era mayor a cada instante.

Por sobre el pantalón, yo acariciaba su pene, que iba poniéndose cada vez más duro y más grueso. Alfredo buscaba entre mis pechos y mis piernas, jadeando. De pronto sentí vergüenza de mí misma. ¿Cómo decirle que nunca lo había hecho? ¿Y cómo decirle que todo ese jueguito me había llevado al umbral de un maravilloso orgasmo? ¿Cómo decirle que quería seguir, que deseaba que Alfredo me tomara ahí mismo, que me arrancara las ropas y me poseyera salvajemente?

—Espera, Alfredo, hay algo que quiero decirte... – dije gimiendo–. Yo...

Se desprendió de mí con suavidad y me tapó los labios con un dedo.

–No temas –me dijo.

Luego quiso decirme algo más, pero yo ya había salido corriendo del auto, escapando en medio del aguacero. Una tormenta torrencial bañaba las calles con gruesos gotones que caían como impulsados a presión desde el cielo. Era una tormenta que se parecía o acaso anunciaba el huracán de pasiones del que yo era capaz. Sentía vergüenza, pudor, y, sobre todo, mucho miedo. Corrí largo rato bajo la lluvia hasta llegar a mi casa.

Al llegar vi a Mark en la puerta, que se despedía de Sharon. Me dio gusto y cierto alivio descubrir a mi vecina en la puerta, era como si llegara a un refugio en medio de una persecución. Sólo que yo no huía de Alfredo y sus caricias, huía de mí misma. De la sensación de humedad en todo el cuerpo, no sólo por la lluvia, sino por la excitación y el placer que me había dado el encuentro con Alfredo, la misma excitación que me despertaban Mark y Sharon. Pero al mismo tiempo me sentía angustiada. ¿Dónde había quedado mi autocontrol? ¿Cómo podía ser que tan sólo sentir el miembro de un hombre y sus manos rozando mis piernas me provocara semejante reacción? ¿Tan excitada estaba, tan anhelante y ansiosa de sexo?

Sharon notó mi preocupación. Además, yo estaba empapada. Creo que algunas lágrimas se confundían con las gotas de lluvia que todavía se deslizaban desde mi pelo. Sharon me invitó a tomar una taza de café recién hecho a su apartamento. Acepté agradecida, creo que necesitaba desahogarme. Le conté sobre mi inexperiencia y la perturbadora situación que acababa de vivir. Ella me tranquilizó. Era muy amable y cálida, y sus comentarios eran todo lo contrario a las reprimendas de mi abuela cuando yo me miraba al espejo. Ella me alentaba para que disfrutara a pleno de mi deseo, que aceptara el placer que era capaz de sentir. Incluso llegué a confesarle que los había visto por mi ventana y eso pareció divertirla. Le conté de mi temor a perder el control, y ella mencionó que quizás podría encontrar otra forma de control y de poder cuando me abandonara a mis impulsos.

No llegué a comprender del todo la idea en ese momento, pero volví a dormir a casa mucho más tranquila y relajada luego de esa conversación.

mi violento despertar sexual

el maestro oriental

El maestro oriental

CAPÍTULO 4

Vera

mi violento despertar sexual

A la mañana siguiente, decidí faltar a mi trabajo. Por primera vez en el año me quedé en mi apartamento. Estaba un poco afiebrada por la lluvia y por la intensidad de mis emociones desatadas. Pasé el resto del día haciendo gimnasia en mi casa. Necesitaba descargar energías, transpirar. Al atardecer salí para correr por el parque.

El recuerdo de Alfredo se me había adherido a la piel. Me moría de ganas por volverlo a ver, al mismo tiempo que sentía miedo. Quizás Alfredo sólo se había sentido atraído por mi fama de mujer distante y cerebral. Y ahora que me había conducido de esta manera enloquecida, su curiosidad se había satisfecho...

Al mismo tiempo, algo en mí decía que no. Que todavía quedaban asignaturas pendientes por vivir. Atardecía y mi cuerpo extrañaba los besos que había recibido la noche anterior. Pensaba en Mark y en Sharon, que seguramente iban a estar divirtiéndose juntos.

Mi soledad empezaba a pesarme, ahora que comenzaba a conocer el enorme placer de la compañía y el erotismo.

Volví a casa y me di una ducha rápida. Me puse un short, una camiseta, y me preparé una ensalada de vegetales para comer algo liviano. En eso estaba cuando sonó el timbre. Me sobresalté, no esperaba a nadie.

Miré por la mirilla, intranquila. Un joven oriental, alto, de anchas espaldas, estaba de pie ante mi puerta. Llevaba puesto un traje de etiqueta. Pregunté sin abrir qué deseaba, segura de que se trataba de un error.

—¿Es el apartamento de la señorita Vera Fischer? Mi nombre es Charles Yung. Tengo un recado para usted, de parte de Sharon Mac Cullen.

—¿De qué se trata? —pregunté desconfiada, sin abrir todavía.

—Su vecina, la señorita Mac Cullen, me ha pedido que venga hasta su casa. Si tiene dudas, puede llamarla por teléfono, ella le explicará.

Tomé el teléfono mientras me acercaba a la ventana de mi living. Desde ahí se veía el estar de Sharon. Vi cómo salió de la cocina a atender al oír la campanilla del teléfono, y sin dudar se acercó al ventanal y me miró desde allí, sonriente.

—Buenas tardes, Sharon...

—Hola, Vera, ¡qué gusto hablar contigo! Estaba esperando tu llamado. Supongo que Charlie te ha aconsejado que me llames, para aclarar tus dudas.

—Es verdad, Sharon, no entiendo...

—Mira, te cuento brevemente. Cometí la infidencia de contarle a Mark lo que me relataste anoche. ¿Recuerdas que me dijiste de tus ganas de encontrarte con tu amigo puertorriqueño, y temes no estar a la altura de las circunstancias?. Bueno, espero que no lo tomes a mal. Se nos ocurrió a Mark y a mí en darte una manita. Por eso te preparamos esta sorpresa. Dedujimos que es más fácil sorprenderte con algo que esté fuera de tus planes para que aceptes. Ahí tienes a Charlie, digamos que es un gran amigo nuestro, de toda nuestra confianza. Además de ser todo un caballero, es un joven guapo y bien dotado. Pero vamos, mujer, ¡no lo dejes ahí afuera, va a cansarse! ¡Ábrele la puerta!

Atónita, obedecí. Abrí la puerta, con el teléfono todavía en la mano. Charlie entró sonriente. Quedó de pie en el medio de mi living. Volví a hablarle a Sharon.

—Esto es una locura... —dije, riéndome.

—Y recién comienza. Una cosita más, Vera. Deja tus cortinas descorridas, que vendrá Mark y querremos verlo todo, ¡nos debes una!

El caso es que Charlie estaba de pie ante mí, con su elegante traje y su sonrisa. Colgué de buen humor. Había calculado una noche solitaria, y, de pronto, todo cambiaba. Las cosas en mi vida seguían tomando un rumbo insólito, pero mi sangre hervía, y ya no podía decir que no...

Fue una noche inolvidable. Pedimos algo de comer por teléfono. Charlie sugirió acompañar la cena con un buen vino francés. Pusimos una mesa romántica, en la semipenumbra de mi casa, en la que sólo decidimos estar iluminados por un velador

de pie y unas velas, que nunca antes había usado.
Charlie era ocurrente y talentoso. Yo acepté cada
idea suya de buena gana, dispuesta a divertirme. Preparamos la mesa y comimos. Una suave música de
fondo daba al ambiente un clima aún más especial.
En un momento, mientras cenábamos hablando de
cosas casuales y sin importancia, se me ocurrió decirle que yo debería cambiarme de ropa.

—Esto es desigual —le dije, divertida—. Tú estás
vestido de etiqueta y mírame a mí. ¡No voy a resul-
tar seductora con este aspecto!

—No estés tan segura —dijo Charlie mientras le-
vantaba su copa hacia mí—. Luces fresca y tu piel es
suave y brillante. Pero ya que lo mencionas, podría-
mos hacer un pequeño cambio, si me lo permites.

Bebió un trago, se puso de pie y llegó
hasta mí. Hizo una reverencia, como si me estuviera

invitando a bailar. Me puse de pie, sonriéndole. Sentía que conocía a Charlie de toda la vida. Me tomó de la mano y me hizo dar una vuelta sobre el lugar. Luego, con mucha suavidad, tomó mi camiseta y la jaló hacia arriba. Después me ayudó a quitarme los shorts. Quedé enteramente desnuda frente a él.

—Esta es la mejor manera en la que puedes estar, Vera. Eres bellísima.

Se quedó frente a mí, mirándome como quien mira un cuadro, de arriba abajo, con lentitud, sin dejar de sonreír.

—Dime qué harías tú ahora, Vera...

—No sé... —me reí nerviosa— Aunque no lo creas, es la primera vez en mi vida que estoy enteramente desnuda ante un hombre.

—Bueno, debo tomarlo como un regalo... Me alegra que Sharon me haya pedido que viniera a ayudarte. No te tensiones. Deja que te mire y te disfrute, y de a poco se te irá ocurriendo qué es lo que quieres hacer. Tienes fantasías con un hombre, ¿verdad? Pues aquí me ofrezco para ayudarte, estás despertando mi deseo...

Me acerqué a él y lo besé en la boca. Charlie me respondió con un beso húmedo y largo, muy suave. Pasó sus brazos alrededor de mí a la altura de mi cintura. Poco a poco me fui apretando contra su cuerpo. Sentía curiosidad por saber cómo era su piel, cómo era desnudo, y se lo dije.

–Todavía no, Vera. Déjame que te disfrute yo a ti, lentamente.

Empezó a besarme suavemente en las orejas, el cuello, los hombros, mientras tomaba mis pechos entre sus manos, dándoles un masaje circular que comenzó a hacerme hervir por dentro. Mi respiración se aceleraba. Puso uno de mis pezones en su boca y empezó a jugar en él con su lengua. Luego repitió la caricia en mi otro pecho, que lamió enteramente antes de metérselo en la boca con más pasión. Bajó una de sus manos hasta mis nalgas y me acarició el culo. Sentí la necesidad de abrir suavemente mis piernas y busqué besarlo.

Estuvimos un largo rato así, de pie, yo desnuda. Cuando quería besarlo en la boca, o trataba de sacarle la ropa, me detenía. Me masajeó los pechos, me metió un dedo en el culo para luego retirarlo. Mi deseo se encendía, y Charlie lo demoraba. Cada tanto se detenía y me miraba con una sonrisa.

–¡Qué hembra eres, Vera! Tú y yo vamos a disfrutar de una hermosa noche...

Corrió el mantel de la mesa, echando las

cosas a un costado. Me recostó en la mesa y empezó a desvestirse. Quedó con el torso desnudo y no pude evitar suspirar al verlo.

Era un hombre hermoso, sus músculos del pecho claramente dibujados, subiendo y bajando al ritmo de su respiración, que se esforzaba por controlar. Luego abrió mis piernas y me fue besando lentamente, lamiendo mi pecho, luego mi abdomen. Se detuvo en mi ombligo un instante y siguió bajando. Mi cuerpo subía y bajaba lentamente, al ritmo de sus besos. Deseaba que me tocara más abajo. Jugando se detuvo en mis muslos. Ahí no pude reprimir más mi deseo: tomé su cabeza y la acerqué a mi vagina.

–¡Dios, qué caliente estás! Vamos a probar esta miel...

Empezó a besarme. Primero lamió mi clítoris, arrancándome largos gemidos de placer. Me sentía enloquecer, quería que siguiera y a la vez quería más. Así se lo dije.

Luego su lengua hurgó más abajo, abriendo los labios de mi concha. Hasta que se metió en mi vagina. Con una de sus manos llevó la mía hasta mis pechos, instándome a que yo misma me acariciara. Le hice caso, sintiendo que cada palmo de mi piel reclamaba, además de sus besos, caricias, saliva, placer. Me sentí fascinada con el juego. Pude acariciar mis pechos, disfrutar yo misma de mis pezones, mientras Charlie tocaba mi clítoris y jugaba con su lengua adentro de mi vagina.

—Eres espectacular, Charlie. ¡Cómo me haces gozar!... Tómame, soy toda tuya...

Empecé a sentir una larga explosión de placer y se lo hice saber.

—Charlie, mi amor, estoy por acabar...

—¡Dame tu orgasmo, vamos, quiero comérmelo! —me alentó.

No pude reprimirme más. Grité mientras un orgasmo caliente y húmedo me invadía. Charlie movía sus dedos, ahora me los metía con pasión aumentando mis estremecimientos, jadeando él también, excitado ante mi explosión de placer.

—Eres tan hermosa, así... toda mojada... —dijo Charlie mientras se retiraba suavemente.

Cerré los ojos y empecé a respirar más suavemente. Poco a poco me fui incorporando. Charlie estaba de pie, el torso descubierto y transpirado, entre mis piernas. Nos miramos, me dedicó una hermosa sonrisa. Tuve ganas de besarlo.

—Lección uno: desnuda, te ves maravillosa. Y cualquier hombre puede sentirse muy bien mirándote, chupándote, haciéndote tener un orgasmo... pero ahora... ven a hacerme gozar tú a mí.

Mientras decía eso, me ayudó a ponerme de pie. Luego empezó a desabrocharse su cinto, sin quitarme los ojos de encima.

—Es el momento de tener tu segunda lección. Ayúdame con esto.

No hizo falta que me dijera más. Desabroché su pantalón e introduje mi mano dentro de su boxer. Sabía qué buscar. Liberé un hermoso pene, grueso y rígido. Vacilé. Él cubrió mi mano con la suya, mirándome a los ojos, enseñándome cómo agarrarlo. Vi pasión y un destello de fiereza en su mirada. Tomé su pene, obediente. Con su mano hizo que mi presión tomando el pene aumentara. Empecé a frotarlo suavemente. Charlie cerró los ojos y se dejó hacer, por unos largos instantes. Luego dijo:

—Toma mis huevos con la otra mano, vamos...

Acaricié sus huevos. También eran grandes, su piel era suave. Los masajeé con suavidad mientras con la otra mano me dedicaba a su pene, duro y vuelto hacia arriba. Noté que a medida que seguía acariciándolo se ponía más rígido todavía.

—Charlie, tienes tan duro el pene... ¡estás muy caliente!

No me respondió. Con un gesto se desprendió de mis caricias e hizo que me pusiera de rodillas.

—Ahora vas a chupármelo. Deja que mi pene entre en tu boca, Vera, quiero ver cómo lo besas, cómo lo lames, vamos, dame tu boca...

Hice lo que él me hizo. Recordé la manera sutil y sensual en que Charlie fue llegando hasta mi sexo y la imité. Primero besé su abdomen terso y fui bajando lentamente la lengua. Intentó con un gesto ponerme su sexo en mi boca y lo rechacé. Seguí recorriendo la zona con mi lengua, deseosa de jugar y prolongar su excitación. Besé el principio de sus muslos y luego hundí mi cara entre sus huevos, para metérmelos suavemente en mi boca, inundándolos con mi saliva. Mientras tanto, Charlie tomaba mi cabeza, intentando dirigir mis movimientos, disfrutando a cada instante. Todo el tiempo gemía y aprobaba cada vez que lo besaba.

—Así, hermosa, qué puta eres, lo rápido que aprendes, me estás haciendo gozar mucho, vamos, métetela en la boca, que ya no aguanto...

Demoré algo más. Luego pasé mi lengua por la base de su pene y seguí lamiéndolo hasta llegar a la cabeza. Entonces abrí mi boca y dejé que entrara, suave y enorme, ajustando mis labios a su tamaño, sintiendo su sabor, excitada por conocer la textura de su piel. Charlie no resistía más el juego y tomó un papel más activo.

Apenas puso su pene en mi boca sentí que tomaba con más violencia mi cabeza, dirigiendo mis movimientos, ajustándolos a la manera en que entraba y salía su pene de ella. Sabía hermoso. Mientras tanto acariciaba sus huevos y escuchaba sus suspiros, cada vez más potentes, jadeos de desesperado placer.

Sentía cómo ejercía su viril posesión sobre mí. Me tomaba del pelo, con suavidad y a la vez con fuerza, obligándome a chuparlo, disfrutando extasiado, entrándome y saliéndome de la boca. Yo estaba de rodillas ante él, tratando de hacerlo gozar al máximo. Me maravillaba su potencia, me fascinaba su manera de expresar el placer que yo le hacía sentir. De pronto se apartó.

—Quiero penetrarte, Vera. Quiero poner mi pene en tu concha ahora mismo, ven...

—Charlie... serás el primer hombre que me penetre...

—Lo sé, y eso me vuelve más loco aún. Deseo penetrarte profundamente, acuéstate...

Mientras tanto me recostaba en mi sofá. Le sugerí ir a la cama. Se sonrió.

—Recuerda el pedido de Sharon y Mark. Si nos fuéramos allá, no podrían vernos...

La verdad es que lo había olvidado. Intenté dar vuelta y mirar hacia la ventana, pero no me lo permitió. Él fue a descorrer las cortinas. Apagó las velas que aún estaban encendidas y encendió otro de los veladores de pie que yo tenía. Focalizó la luz en mí, sonriéndome. A mí me llenaba de placer mirar a ese hombre hermoso, atlético, bien dotado, caminando desnudo por el living de mi casa, su miembro continuaba rígido, apuntando hacia arriba, dando a entender que íbamos a tener todavía mucho por hacer y sentir.

–Vamos a darles un buen espectáculo, se lo merecen... –dijo antes de echarse sobre mí y empezar a besarme con total pasión.

Me entregué al juego pensando que Sharon y Mark iban a estar mirándome...

Pasamos largo rato haciéndonos el amor. Se tendió sobre mí besándome en la boca. Con sus dedos preparó mi concha para recibir a su pene. Me estuvo tocando por un rato, hasta que de pronto los retiró y me penetró. Fue un instante sublime para los dos.

Me penetró suavemente, poniendo todo su enorme pene, en un apasionado esfuerzo porque entrara íntegro. Cuando lo logró se quedó quieto por un segundo, mientras me daba cortos besos en la boca y en las orejas.

–¿Sientes, Vera? Está todo adentro. ¡Qué concha tan hermosa, estás tan húmeda!... Vamos a hacerlo despacio, vamos, muévete tú, siente...

Empezamos a movernos con lentitud. Todo el tiempo, Charlie hablaba a mis oídos.

–Así lo hacemos allá, en mi país... –me dijo– El acto sexual se parece al nirvana, quiero sentir que te elevas mientras gozas, Vera. Vamos a hacerlo juntos... ¿te gusta?

–Sí, Charlie, me gustas todo tú, tu piel, tu cuerpo, tus besos, tu pene dentro de mí...

–Dime qué sientes, mientras te mueves. Vamos, ayuda a que entre y salga...

–Siento tu calor, tu fuerza, me gusta que estés dentro de mí...

Charlie aumentó la pasión con la que entraba y salía gradualmente, instándome a que me moviese a su ritmo. Logramos una apasionada armonía; mi excitación era absolutamente intensa. Lo abracé con mis piernas y mis brazos, recorriendo con frenesí su espalda con mis manos, disfrutando el contacto de su piel. Sentía que Charlie emanaba un calor que enloquecía a mis sentidos.

En un momento nos dimos vuelta. Quedé arriba suyo y me instó a que me irguiese.

—¡Vamos, Vera, quiero ver cómo cabalgas sobre mi pene!

Mientras yo tomaba ese nuevo ritmo, experimentando un renovado placer, con su enorme pene caliente dentro de mí, Charlie tomaba mis pechos con sus fuertes manos. Era un momento de pasión que nos envolvía, enloqueciéndonos. Tuve un orgasmo larguísimo, de una potencia que me hizo arquearme y volver a gritar. Él me sostuvo erguida haciéndome mover hasta que terminé. Entonces me puso de espaldas y me penetró por detrás, mientras tomaba con fuerza mis nalgas.

Su desenfreno lo hacía gritar a él también, yo resistía exhausta a sus fogosos embates, su pene seguía penetrán-dome con creciente velocidad. Empezó a darme palmadas cada vez más fuertes en las nalgas, enardecido de placer.

Tuvo un orgasmo intenso y febril. Sacó su pene violentamente y me roció las nalgas con su semen, mientras gemía. Luego me dio vuelta e hizo que le chupara la cabeza de su pene. Sorbí las últimas gotas de leche que aún salían, extasiada por su virilidad.

$\mathcal{P}$asamos el resto de la noche en mi cama. Lo convencí de que ya habíamos regalado un bonito espectáculo a nuestros amigos, de modo tal que podíamos ir al dormitorio y descansar unas horas, más cómodos. Me adormecí entre sus bien contorneados brazos, fascinada de sentir su olor varonil, contenta de tener a semejante hombre entre mis sábanas.

Me desperté sintiendo que Charlie volvía a penetrarme suavemente por detrás. Pasamos toda la noche cogiéndonos, durmiendo por ratos, chupándonos los sexos, terminando el vino. El amanecer nos sorprendió disfrutando el placer de nuestros sexos.

un regalo y Alfredo

Un regalo y Alfredo

CAPÍTULO 5

Vera

mi violento despertar sexual

Al día siguiente, con mucho sueño y cansancio, volví a la oficina. Cuando me observé en el espejo del baño, sentí que los demonios no estaban del otro lado del cristal, sino dentro de mí. Y que por fin se habían empezado a desatar de sus cadenas. Aunque también empecé a relajarme, y a pensar en esa mujer que veía en el espejo como a otra. Como si no fuera del todo yo, o como si fuera más yo que nunca.

Temía las consecuencias de mi cambio de actitud, temía el descontrol, como siempre, aunque ahora quizás lo temía un poco más, ya que había descubierto cuánto me gustaba. Sin embargo, empecé a comprender lo que me había dicho Sharon. Quizás el haberme empezado a entregar al placer no me haría más vulnerable en el trabajo. De hecho, me sentía más segura de mí misma que antes. No había pasado una hora cuando sonó el intercomunicador de mi despacho: era Alfredo.

—Hola, Vera, ¿cómo estás? Me enteré que ayer no viniste...

—Es verdad.

—¿Te encuentras bien?

—Me encuentro bien, despreocúpate. Y ahora sabrás disculparme. ¡Tengo mucho retraso con el trabajo!

Corté satisfecha. Alfredo seguía interesado en mí. El resto de la semana no respondí sus llamados y evadí verlo. Se presentó en mi oficina el viernes; ya no se mostraba tan seguro. Me alegró volverlo a ver, mas me cuidé de demostrarlo. Si le había atraído lo distante de mi actuar, era así como lo debía tratar. Su piel morena brillaba en contraste con lo claro de su atuendo. Lo vi más hermoso y sensual que antes. Su sola presencia me provocaba una creciente excitación.

—Vera, viene el fin de semana y pensé que quizás querrías cenar conmigo... Siento muchos deseos de volver a estar contigo...

Demoré en contestar. Fingí terminar unos detalles del diseño que me tenía tan ocupada, como si pensara en una respuesta. Aunque mi cuerpo pedía otra cosa...

—No tengo inconvenientes —no pude reprimir una sonrisa.

Como yo ansiaba, quedamos en mi casa para cenar el sábado a las siete.

El sábado por la mañana fui al supermercado a hacer compras para la cena. Deseaba preparar la cena de la noche. Estaba entretenida en decidirme por las hortalizas que llevaría, cuando se aparece Sharon, tirando de su carro de compras. Nos saludamos como viejas amigas. Terminamos de hacer las compras juntas, conversando animadamente. Le conté que era mi gran noche, que había invitado a Alfredo a cenar y quería preparar una velada diferente. Sharon aprobaba mi relato con alegría.

–Eso es genial, me dijo. Las cosas se están dando tal como las deseas... supongo que tienes todo tu vestuario dispuesto...

–Por Dios, ahora que lo mencionas... creo que me olvidé de algo... ¡no he pensado en mi lencería! ¿Ves? Tengo tanto que aprender todavía para pasar una noche perfecta con un hombre...

–No te aflijas, me respondió. Se me ocurren dos cosas: o no llevas nada puesto debajo de la ropa, que siempre es un efecto impactante, o vienes a casa y miras, quizás yo tenga algo que te vaya. No dudé en aceptar la última opción.

Dejé mis paquetes en mi apartamento y fui con Sharon hasta el suyo.

—Entremos despacio... Mark está descansando. Ven, pasa.

Me quedé esperando en silencio mientras Sharon acomodaba sus compras en la cocina. Luego se dirigió en puntas de pie hasta el dormitorio. Me senté en el amplio sofá: era el mismo en donde los había visto haciéndose el amor, días atrás. No pude evitar acariciar el suave tapizado. De pronto, Sharon salió del cuarto con muchas prendas en sus manos. Sé que notó mi gesto. Se produjo un instante de incomodidad entre ambas. Luego se me acercó, como si nada hubiera pasado, y comenzó a desplegar varios conjuntos de prendas íntimas a mi lado. Eran todos muy bonitos. Estuvimos un largo rato mirándolos, tratando de elegir el apropiado. Sharon insistía con un conjunto cobrizo, con manchas atigradas, que según ella iba bien con mi cabellera. Finalmente me decidí por uno de color negro: el brassier tenía una decoración con encajes, mientras que el bikini era pequeño y prometía hacerme lucir las nalgas.

–Deberías probártelos –me dijo en voz baja–. Me parece que el brassier te quedará que ni pintado, tan linda que eres...

La miré fijamente. Había empezado a generarse entre nosotras una extraña corriente. Sharon tenía levemente entreabiertos los labios. Me sostenía la mirada. Nos quedamos inmóviles. Hubiera querido saber cómo era tocarla. La había visto desnuda y gozando de un hombre. Y ella también me había visto a mí.

—Me parece —le respondí— que voy a llevarme los dos, si no te parece mal. Me los probaré en mi casa.

Me dirigí a la puerta, confundida. Se acercó a abrirme. Su actitud había cambiado. Parecía resuelta.

—Vera, no sé si podrás entenderlo. Realmente, Mark y yo querríamos tener algo contigo. Desde que supimos que nos mirabas, nuestro deseo se ha encendido aún más. Y ni qué decirte de la noche que te vimos con Charlie, se te ve tan bonita... Espero que no tomes a mal lo que te digo. Piénsalo.

—Prometo hacerlo —le dije.

Me acerqué y la besé rápidamente en los labios. Y me gustó.

A las siete en punto tenía todo listo. Preparé una entrada con distintas variedades de queso, una carne con varias ensaladas, un buen vino, una copa helada como postre. Había puesto las velas y las lámparas en lugares estratégicos. Hasta la música estaba programada en mi equipo, lista para ambientar la velada.

Cuando abrí la pequeña bolsa en la que Sharon me había dejado la lencería descubrí un objeto similar a un enorme pene. ¡Era un vibrador! Me producía una enorme curiosidad y tentación, pero tuve que dejarlo a un lado para atender el teléfono. Era Alfredo que avisaba que ya estaba por llegar. El llamado me produjo aún mayor ansiedad, así que corrí a cambiarme. Me detuve un momento frente al espejo. Estaba muy conforme con lo que veía.

Cuando sonó el timbre, mi cuerpo entero tembló de excitación anticipando lo que quería gozar. Corrí a atenderlo, y detuve la marcha justo antes de abrir la puerta, controlándome.

Ahí estaba: hermoso, la piel mestiza brillante, que se me ocurría deliciosa. Vestía colores claros y llevaba una rosa blanca, que me extendió apenas abrí la puerta. Acepté la flor con una sonrisa y lo invité a pasar. No había cerrado la puerta y nos estábamos besando apasionadamente.

Disfrutamos de la cena, demorando el momento de volver a tocarnos. Hablábamos poco y nos quedábamos detenidos, mirándonos el uno al otro, sin decir nada de lo que estábamos pensando.

Alabó mis dotes como cocinera y mi atuendo. Yo me sentía feliz y segura: las cosas iban tal como las había planeado.

Luego lo invité a tomar una copa en el sofá. Nos sentamos alejados. Luego de dedicarme un brindis, me dijo:

—Vera, no sabes lo que he esperado este momento. Todos estos días he pensado en ti, en lo mucho que deseaba estar contigo.

—Yo también pensé en ti, Alfredo. Hay algo en ti que me atrapa, me deja como hipnotizada...

—Eres una mujer muy fogosa, Vera. Sé que quizás no te di tiempo a pensar, y eso hizo que las cosas no salieran tan bien. Es un desafío estar a tu lado...

Me acerqué y lo besé. Me sentía excitada y empezaba a impacientarme. Tenía en mi cuerpo la necesidad de estar cerca de él. Respondió a mi beso. Me tomó en sus brazos y me llevó a la habitación. Sin darme tiempo a nada, me colocó sobre la cama y empezó a despojarme del vestido, luego la ropa interior y los zapatos de taco. Empezó a besarme apasionadamente por todo el cuerpo, moldeándome con sus caricias, estirándome sobre la cama. Sus diestros dedos acariciaban mi concha intensamente. Luego visiblemente excitado con mi propia excitación, se quitó el pantalón y los boxer, dejando a mi vista su pene muy rígido. Sin perder más tiempo empezó a penetrarme en la vagina.

Yo esperaba que lo hiciera casi con violencia, con ese impulso de macho latino que parecía emanar de él. Pero me sorprendió. Me penetraba con una lentitud desesperante, que me prendía fuego, y en el momento en que yo gritaba como poseída de la excitación, él sacaba su pene con rapidez. De inmediato volvía a penetrarme lentamente. Yo sentía cada centímetro de su virilidad dentro de mí, me acariciaba por dentro y el placer era enloquecedor. Ese control experto hacía que deseara con desesperación que me cogiera con fiereza. Fui yo la que empezó a sacudirse para sentir su pene hasta el fondo. Creí enloquecer de placer.

Tuve dos orgasmos. Mordí su boca y aullé como un animal salvaje. Alfredo sabía hacer que cada uno de sus movimientos provocara en mí crecientes espasmos. Su pene entraba y salía de mí y yo sentía a cada momento su calor y su pasión. Ese hombre me hacía sentir que poseía cada milímetro de mi cuerpo. Alfredo me recostó boca abajo y se acercó por detrás.

—Quiero tu culo —me susurró al oído con voz profunda.

—Alfredo, no, espera, yo nunca...

Sentí terror. Nunca había sido penetrada así. Ya era tarde. Entendí que no podía negarme. En realidad, creo que tampoco quería negarme. Con un gesto enérgico, Alfredo subió mis caderas, dejándome en una posición sumisa.

—Vamos a ver qué gusto tienes —dijo, poniéndose detrás de mí. Sentí su lengua en el medio de mis nalgas, buscando mi ano. Otra vez el calor empezaba a invadirme. No parecía tan terrible: es más, me gustaba.

Alfredo preparaba con sus besos una penetración, demorando su lengua entre mis nalgas. Me sentía sometida, y a la vez poderosa. Todas mis inhibiciones habían quedado atrás. Metió uno de sus dedos suavemente en mi culo.

—Vera, hermosa, eres lo máximo... Veo que voy a ser el primero en entrarte en el culo, eso es más de lo que imaginé...

Metió otro dedo más. Me abrazó y me apretó contra sí, mi espalda contra su pecho, hablándome al oído.

—No puedo, me dolerá...

—Vera, amor, relájate. Abre tus nalgas, acéptalo.

Dejará de dolerte y te irá gustando. Voy a llenarte el

culo de leche, vamos a tener un orgasmo juntos...

Sus palabras me excitaban mucho y len-

tamente fui relajando mis músculos. Alfredo perci-

bió mi cambio corporal. Retiró los dedos y me pe-

netró ardientemente. Creí que iba a desmayarme.

Con un solo movimiento, Alfredo había introduci-

do todo su pene en mi culo. Sentí un ligero dolor

que luego fue dejando paso a una sensación impre-

sionante, distinta, muy excitante. Fue entrando y

saliendo con cuidado. Luego no pudo contenerse

más y buscó su ritmo, al tiempo que con una mano

masajeaba mi clítoris y con la otra me sostenía er-

guida. La posición impedía que yo me pudiese mo-

ver. Tener a Alfredo dentro de mí era delicioso, sentir la temperatura de su pene, ese calor que irradiaba y me volvía a prender fuego. Sentí que le pertenecía.

La excitación fue explosiva, sentí un largo, intenso, interminable orgasmo, mientras sentía como él también acababa extasiado dentro de mí, y creí desmayarme de placer.

Cuando me desperté, él estaba acariciándome como si recién nos hubiéramos encontrado. Eso hizo que volviera a sentirme excitada. Descubrí que yo sentía todo el tiempo la animal necesidad de complacer todos sus deseos, entregada a cada juego que él proponía, fascinada por su belleza y su fuerza. Me asombraba y deleitaba el deseo que provocaba en él.

En ese momento, en medio de nuestros movimientos en los que nos íbamos acariciando el uno al otro, Alfredo descubrió el vibrador que yo había dejado olvidado cuando él llamó por teléfono.

Noté que el hallazgo lo había excitado mucho y yo también sentí ese fuego intenso y húmedo entre las piernas, entusiasmada con la sola idea de sumar aquel juguete a nuestro encuentro.

Pendiente de mi entusiasmo, Alfredo tomó el aparato y me penetró con él en la vagina.

—Mírame a los ojos, quiero ver tu expresión mientras te pongo este juguete...

Yo estaba sorprendida, mas la sorpresa permitía que mi excitación fluyera. El contacto con el vibrador era extraño, potente y agradable. Luego hizo que lo tomara entre mis manos.

—Ahora te toca a ti, nena, quiero verte jugar...

Le hice caso. Tomé el extremo del consolador mientras me abría más de piernas para que entrara completamente. Alfredo besaba mis pechos excitado y me miraba con los ojos entrecerrados. Mis manos aprendían a usar el vibrador, que le daba un insólito y repentino placer a mi vagina. Luego Alfredo empezó a frotar mi clítoris acompañando el ritmo con que yo misma me penetraba con el vibrador. El juego me hacía hervir la sangre. De pronto sentí que se anunciaba otro orgasmo. Empecé a temblar de placer.

—Alfredo, ¡siento que exploto!

—Sí, nena, vamos, eres una hembra deliciosa...

Acabé enloquecida. Alfredo me sacó el vibrador y me penetró con fuerza en mi vagina, empezando un potente movimiento sobre mí que prolongó mi orgasmo.

—Tienes fuego en la concha, nena, estás hermosa, cómo te ha gustado metértelo, eres una máquina de gozar...

Luego, mientras buscaba cogerme otra vez por el culo, me instó a que siguiera usando el vibrador.

—Parece que necesitas dos penes, hermosa, quiero ver cómo lo haces...

Volví a sentir que explotaba dentro de mí, mientras yo sentía un infinito placer por tener su pene dentro de mi culo y el vibrador en mi vagina, que seguía moviéndose vertiginosamente. Llegamos a un orgasmo increíblemente caliente. Nuestros cuerpos no podían separarse. Caímos rendidos uno al lado del otro. Pero sólo fue por un rato. Luego necesitábamos volver a estar juntos. Fue una larguísima noche de desenfreno. Lo hicimos en el piso, en la bañera, en la cocina cuando fuimos a buscarnos algo de beber, sedientos luego de tanto ardor.

Mordí su boca, arañé sus hombros, cuando él me penetraba sentía tanto placer que quería comérmelo. Él también hizo cuanto quiso conmigo: me obligó a usar el vibrador ante su cara, mientras se masturbaba. Nos dijimos obscenidades, palabras de amor, insultos, juramentos. Luchábamos y nos amábamos hasta el límite de nuestras fuerzas, tratando de probar todas las posiciones que se nos venían a la mente, dispuestos a colmar las fantasías del otro, desatados.

Dormimos unas horas. Al mediodía del domingo todo volvió a comenzar. Nos seguimos amando hasta el atardecer. Cuando se fue, mi casa parecía un campo de batalla. Y yo me sentía feliz, impregnada por los jugos y olores de Alfredo. Me fui a dormir sin bañarme, para seguir disfrutando del placer de tener sus huellas en mi piel hasta el otro día, plena en la fiesta de mi propio erotismo.

mi violento despertar sexual

compañeros de trabajo

Compañeros de trabajo

CAPÍTULO 6

Vera

El encuentro con Alfredo había resultado maravilloso. Pero el lunes, me llamó por el teléfono interno y me recriminó que no hubiera buscado un momento para estar a solas con él en la oficina. Me dijo que tenía una reunión con un ingeniero recién llegado de Zurich, y que luego me explicaría cómo debía conducirme con él de aquí en más.

Le corté furiosa. Sentía que Alfredo estaba imponiendo sus normas. Quería tomar distancia y dejar en claro que no estaba dispuesta a que me atraparan en un compromiso.

Sobre el mediodía logré ubicar al ingeniero Koll. Me dirigí al despacho que acababan de asignarle. Lo estudié de lejos: era un hombre macizo, de aspecto fuerte y elegante. No tendría cuarenta años. Estaba dispuesta a seducirlo, y lo logré rápidamente. Me presenté ante él decidida y sonriente. Él estaba sentado en su sillón, reconcentrado en mirar unas carpetas. Como no me oyó entrar, aproveché para cerrar la puerta detrás de mí. Antes que pudiera ponerse de pie me acerqué a él. Me miró de una manera intensa y seria antes de pararse. Quedamos muy cerca. Creí que le había gustado.

Sentí que ganaba terreno. Alfredo tenía que llevarse una buena sorpresa cuando llegara...

Cambiamos unas palabras de cortesía y lo invité a que mirara unos planos que había llevado y que ahora estaban desplegados en su escritorio. Cuando se me acercó sentí una fuerte corriente de atracción. Con sutileza me fui poniendo delante de él y lo insté a que se acercara.

—Este es el punto del proyecto que me presenta dudas, ingeniero... —le dije.

—Puede llamarme Kurt, señorita Fischer —dijo mientras acercaba su cuerpo al mío.

Le dediqué una sonrisa y pegué mis nalgas a sus piernas. Faltaban pocos minutos para que entrara Alfredo, no podía perder tiempo. Kurt respondió gustoso ante mi actitud. Sentí que apoyaba su miembro contra mi culo con firmeza. Seguimos mirando el plano y conversando, mientras empezábamos a frotarnos, sintiendo el calor a través de nuestra ropa.

—Kurt, siento que tú y yo podemos hacer muchas cosas... —le dije mientras me seguía moviendo.

El ingeniero estaba absolutamente excitado. Me di vuelta y lo besé en la boca. Kurt empezó a acariciar mi culo, justo cuando entró Alfredo.

Kurt se separó de mí, avergonzado. Alfredo nos miró sorprendido.

—Perdón, no quise molestar...

—No molestas en lo más mínimo Alfredo —le respondí—. El ingeniero Koll y yo hablábamos del proyecto. Pasa y cierra la puerta.

Alfredo obedeció y se acercó a nosotros. Le dio la mano al ingeniero y me miró.

—Íbamos a tener un almuerzo de trabajo —llegó a decir Alfredo.

Sentí que no podía perder terreno. Volví a pegarme al cuerpo de Kurt, que se mostraba algo incómodo, y respondí:

—Dado que vamos a tener una larga tarea juntos, me parece que lo ideal es conocernos un poco. Vamos, hombres, dejen esta actitud tan formal y brindemos por el futuro.

Los dos hombres se habían sentado en el sillón de dos cuerpos. Estaban algo tensos. Yo disfrutaba.

Creo que Alfredo entendió mi actitud. Empezó a conversar con Kurt y el clima se aflojó. Yo me senté enfrente de ellos sobre un taburete del despacho. Estaba alta en comparación a Kurt y Alfredo. Mientras bebía distraídamente agua mineral dejé que mis piernas se entreabrieran. Los dos hombres conversaban y me miraban, Alfredo con un creciente descaro. Kurt se veía algo intranquilo.

–Antes que sigamos en esta reunión, Kurt, quisiera confesarte algo muy secreto –le dije mirándolo a los ojos.

Kurt levantó las cejas, esperando.

–Alfredo y yo compartimos más cosas que el trabajo, ¿verdad? Nos encantan las fiestas.

Alfredo me miraba en silencio. Sus negros ojos estaban fijos en mí.

–Amo las fiestas –dijo Kurt–. De hecho, todavía

no he tenido oportunidad de ir a ninguna desde que he llegado.

–El trabajo es atrapante –le dije mientras me acercaba a él–. Y sin un buen rato de distensión, todo se torna agobiante... Dime Kurt, ¿te gustaría que hiciéramos un pequeño recreo?

Kurt estaba sorprendido y agradado. Empecé a desabotonarme la blusa frente a él. Luego me quité el corpiño y dejé mis pechos ante la vista de los dos hombres.

–Por Dios, eres una hermosa hembra... –dijo Kurt– Sí, tomémonos un recreo...

Me arrodillé ante él y desabroché su pantalón. Kurt tenía una potente erección. Yo no me fijaba en Alfredo, sentía que seguía atento cada uno de mis movimientos. Busqué el pene de Kurt y lo acaricié. Kurt empezó a respirar aceleradamente, echándose para atrás. Empecé a chuparle el pene, delgado y largo. Mi lengua jugó con su cabeza, luego me lo puse en la boca, moviendo mis manos, haciendo que se pusiera cada vez más duro.

—No sean egoístas —dijo Alfredo.

Cuando miré de reojo, noté que él también estaba con el pantalón desabrochado, masajeándose el pene. Sin dejar de chupar el pene de Kurt estiré mi mano. Alfredo entendió el gesto y se acercó. Así tuve el gusto de estar lamiendo a Kurt mientras tocaba a Alfredo. Los dos jadeaban, entregados a mis caricias y a mis besos. Me sentí sensual y poderosa.

Fue Kurt quien me separó, de pronto.

—Tú también te mereces lo tuyo —me dijo jadeando—. Súbete a mi pene, vamos.

Eso hice. Velozmente levanté mi falda,

me saqué mis panties y me senté sobre él a horcajadas. A esa altura empecé a perder el control. Kurt tomó con fuerza mi cadera, moviéndome con pasión. Alfredo se nos acercó, buscando con su boca mis tetas. Dejé que me besara, gozando. De pronto, Alfredo buscó mi culo. Sentí que iba a acabar, el pene de Kurt me iba maravilloso, estaba empapada y no aguantaba más.

Mientras tenía mi primer orgasmo, Alfredo se puso detrás de mí. Kurt entendió antes que yo lo que estaba pasando.

—Sí amigo, esta puta nos puede dar a los dos. ¡Anímate con ese culo!

Kurt me acercó a su pecho y me abrazó con fuerza.

—Vamos a cogerte de a dos... ahora sí que vas a gozar...

No pude impedir que Alfredo me penetrara. Kurt se quedó inmóvil, extasiado. Yo sentía esos dos penes dentro de mí, la enorme fuerza de los dos hombres. Alfredo empezó a moverse dentro de mí. Tuve ganas de gritar, el dolor y el placer mezclados enloqueciéndome. Kurt me tapó la boca con un beso, su lengua entraba en mi boca reprimiendo mis gemidos, mientras Alfredo se movía cada vez más rápido.

Estaba atrapada entre los dos hombres. Kurt sostenía bien abiertas mis caderas sobre él, su pene disfrutaba de los espasmos que provocaba cada movimiento de Alfredo detrás de mí. Así estuvimos un rato, yo aprisionada por la fuerza de estos dos hombres que me penetraban simultáneamente.

Llegamos los tres a un orgasmo intenso y deliciosamente compartido. Quedé exhausta. Kurt rápidamente se puso de pie y se recompuso.

—Ha sido un recreo algo agotador, queridos colegas —dijo mientras volvía a ajustarse la corbata—. Si me disculpan, tengo que seguir con mi tarea.

Empecé a incorporarme. El tono formal de Kurt me preocupó. Logré ponerme de pie, todavía temblaba.

demasiado lejos

Demasiado lejos

CAPÍTULO 7

Vera

mi violento despertar sexual

*A*quella noche, al volver a casa luego de la jornada en la oficina, incluido el extenuante recreo con Alfredo y Kurt, volví a sentir que había perdido el control. Quizás había ido demasiado lejos. Estaba cumpliendo en pocos días las fantasías que había amasado en mi mente y en mi piel durante años. Las cosas iban demasiado rápido. ¿Qué había sido de la chica autosuficiente y controlada que dedicaba sus energías al trabajo?

Me sentí un poco angustiada, sobre todo cuando me vi en el espejo del baño. Me parecía oír la voz de mi abuela gritándome. Me parecía ver demonios pugnando por salir del espejo, en busca de mi cabeza. Creo que me sentía muy culpable. Necesitaba que alguien me ayudara. Fui a lo de Sharon. Ella me recibió vestida apenas con una bata, acababa de salir de la ducha. Yo estaba muy nerviosa, me sentía crispada por el sentimiento de culpa, así que cuando la vi, me abracé a ella, llorando. Me consoló muy cariñosamente, me llevó hacia el sillón y nos sentamos juntas. Ella sirvió unos tragos, y empecé a contarle de mi encuentro en la oficina, de cómo había gozado con Alfredo y Kurt. Sharon bebía su Martini y sonreía a cada instante del relato, me pedía detalles, más detalles y luego detalles de los detalles.

Poco a poco, mientras Sharon parecía excitarse —era notable como se sonrojaba, cambiaba de posiciones y colocaba su mano entre las piernas, a las que abría y cerraba en un movimiento espasmódico— empecé a escuchar lo que le contaba y logré relajarme. Me daba cuenta de que la culpa había desaparecido. A medida que contaba los detalles de los detalles y observaba como esas anécdotas iban excitando a la hermosa Sharon me fui entusiasmando. Observaba la mirada ansiosa de Sharon sobre mí, la manera en que pasaba su lengua por los labios, cómo se tocaba casi distraídamente, como se agitaba su respiración. Sharon se recostó un poco sobre el sillón, y apoyó una de sus piernas sobre las mías, mientras reía a carcajadas, entonada por los tragos y por las escenas que yo le contaba. En un momento, sentí como su pie rozaba mi muslo, buscando por dentro de la falda.

Noté que mi respiración también estaba agitada, que yo también me sonrojaba y que sentía un calor creciente en mi piel. Mis piernas también empezaron a moverse, como si recibieran una especie de descarga eléctrica. Noté que había olvidado por completo la culpa, el pudor, el temor. Quería sentir la piel de Sharon, la sola idea hacía que me humedeciera. Tomé su pie, también con actitud distraída, y lo acerqué hacia mi concha. Ella empezó a jugar con los dedos, mientras yo trataba de seguir contándole lo que había pasado. Los detalles de la historia, y su pie acariciándome hicieron que me fuera excitando cada vez más. Era divertido lo difícil que me resultaba seguirle contando *«y entonces sentí como él me cogía...»*, entre las risas excitadas de Sharon y las mías.

En ese momento sonó el timbre. Repentinamente, cambié por completo mi actitud. Sentía que me habían sorprendido cometiendo alguna falta, aunque no sabía si era por el relato o por las intenciones que me estaba despertando Sharon. Aproveché para levantarme y recomponerme. Le agradecí a Sharon su ayuda y me fui justo cuando llegaba Mark.

una entrega personalizada

Una entrega personalizada

CAPÍTULO 8

Vera

Al día siguiente, temía encontrarme con Alfredo y con Kurt. Pero creo que lo que más temía era mirarme en el espejo. Me resultaba muy difícil concentrarme en el trabajo. Pero hice mi mejor esfuerzo para que no se notara el rumbo que habían tomado mis impulsos, mis pasiones que, como siempre había temido, se desbarataron como un torrente en cuanto encontraron una grieta en el dique de mi autocontrol.

La jornada fue transcurriendo bajo la intensidad de las exigencias de trabajo, y hacia última hora, si bien no había olvidado las inquietantes experiencias de los días previos, había encontrado valor para verme en el espejo del baño.

Al salir, mientras regresaba a mi estudio, pude ver a Mark ensimismado sobre su escritorio, con gesto adusto y preocupado. Le pregunté si se encontraba bien, y me confesó que estaba muy alterado: debía entregar unos planos en forma urgente, pero el servicio de mensajería ya no trabajaba tan tarde. Me ofrecí a llevarlos yo misma, después de todo, era bueno concentrarse en el trabajo. El lugar donde debía entregar los planos era el Delano Hotel. El conserje consultó por teléfono y me hizo acompañar por un bell boy hasta la habitación de quien debía recibirlos. Yo ignoraba quién era, sólo tenía las señas del hotel y su número de habitación.

En la lujosa habitación se encontraba Kurt, quien estaba por brindar con Alfredo en ese mismo momento. Ciertamente no resultaron tan soprendidos como yo con el encuentro. Compartieron una mirada cómplice y me invitaron a acompañarlos con una copa.

—Vera, ¡debes compartir esto con nosotros! —dijo Alfredo

— Alfredo, quiero dedicarte un brindis, por tu ascenso y nuestro viaje de mañana a Zurich... —explicó Kurt al tiempo que chocaba las copas.

No esperaba volver a encontrarme con esos hombres tan pronto. Sin embargo, la idea de que mañana mismo saldrían de mi vida logró despreocuparme.

El champagne estaba delicioso y ellos se veían atractivos. Compartimos una charla divertida. Sonaba una suave música.

Alfredo se sentó en el borde de la cama con su copa. Kurt me invitó a bailar al compás de la melodía. Decidí entregarme a mis sentidos y lo abracé: me gustaba tener cerca ese hombrón sólido y viril. Pero más me gustaba que eso sucediera ante los ojos de Alfredo, que seguía nuestros movimientos con atención. Al término de la canción se puso de pie y me invitó a bailar. Kurt se desprendió de mí con una sonrisa.

—Oye —dijo Kurt— me han dicho que ustedes ya han compartido encuentros fuera del trabajo... Toda la tarde pensé en lo mucho que me gustaría verlos en acción...

Alfredo no se demoró en su respuesta.

—Será un placer. Había pensado en mostrarte la ciudad, ir por ahí, cenar afuera. Pero me estás proponiendo algo más divertido aún... —empezó a besarme en el cuello mientras me apretaba contra sí— Podemos poner esta dama a punto, si quieres, y gozarla los dos nuevamente.

Kurt nos miró hacer. Alfredo comenzó a desvestirme al ritmo de la música. Me sacó la blusa mientras me acariciaba la espalda. Muy cerca de nosotros, Kurt tomó la prenda y la dejó sobre una silla. Con un gesto, Alfredo lo invitó a acercarse. Kurt besó mis hombros y empezó a bajar el cierre de mi falda por detrás.

—Déjame que te vea bien... —dijo Kurt mientras me la quitaba— Tienes una piel hermosa y brillante, Vera, dan ganas de pasarte la lengua por todas partes... —dijo mientras besaba mi espalda y buscaba con los dedos mis pezones.

Los separó de Alfredo y jugó con ellos.

—Eres muy sensible, pareces hecha para el placer...

Bailamos los tres un par de piezas, yo en medio de ambos, disfrutando del roce de nuestros cuerpos excitados.

Luego Alfredo me hizo girar para que Kurt pudiera besarme en la boca. Así estuvimos un largo rato. A medida que me hacían rotar, yo podía sentir que la excitación de todos iba en aumento. Se complementaban como dos grandes amigos: Alfredo me desprendió el brassier y dejó que Kurt me chupara las tetas un tiempo. Luego Kurt me quitó mis panties y Alfredo bajó a lamerme el pubis con una suavidad que no le conocía.

Cuando Alfredo se arrodilló ante mí para chuparme, empecé a desvestir a Kurt. Admiré su pecho ancho y lo acaricié con deseo. Kurt se quitó los pantalones y el boxer, dejando a la vista su pene erecto. Se colocó tras de mí y me fue separando del beso de Alfredo. Me obligó a recostarme en la cama.

Le hice caso. Al desprenderme de ambos sentí mi propio deseo desatado. Busqué con mis manos el lugar en donde Alfredo me había estado besando. Empecé a tocarme el clítoris, excitada. Kurt me miraba hacer, fascinado, mientras tomaba más champagne, disfrutando del espectáculo. Alfredo se desvistió. Eran hermosos los dos: el moreno sensual y el europeo fuerte y macizo. La vista de esos hombres me enloquecía. Alfredo se sentó en un pequeño sillón al lado de la cama; también bebía. Kurt se recostó a mi lado con la copa en la mano.

—Muéstrame tu concha —me ordenó.

Le hice caso. Me abrí bien las piernas y tomé los labios de mi concha dejando el clítoris, rojo de deseo, a la vista de ambos. Kurt se acercó y lo besó. Luego me pidió que siguiera.

Empecé a masturbarme con las dos manos, las piernas abiertas de deseo, moviéndome. Con una mano me frotaba el pubis, con la otra me metía los dedos en la vagina. Deseaba que me penetraran ya mismo: pero los dos hombres parecían fascinados mirándome hacer. Un orgasmo me invadió y me obligó a proferir un grito de placer.

Cuando terminé, Kurt me hizo sentar al borde de la cama y se paró delante de mí. Puso su pene en mi boca mientras apuraba su trago.

—Te toca gozar a ti, amigo —dijo Alfredo desde su lugar—. Vera, dale lo suyo.

Chupé el pene de Kurt un largo rato. Acaricié sus huevos, firmes y pequeños, mientras su pene entraba y salía de mi boca con creciente velocidad. Alfredo no aguantó más y se acercó en busca de mi boca él también. Accedí a chuparlos a los dos, alternativamente. Sentía que habían demorado el momento, pero que ya no podían más. Necesitaban más acción.

De pronto Alfredo me instó a ponerme de pie. Me penetró en la vagina por detrás, mientras yo seguía chupando el pene de Kurt, que estaba cada vez más caliente.

–Qué bien me chupas... –gemía Kurt– dale tu concha a Alfredo...

Estuvimos cogiéndonos mucho tiempo. Alfredo y yo nos arrojamos en la cama, cada vez más excitados. Kurt se tocaba con una mano, mirándonos mientras que con la mano libre frotaba mis pechos. Luego me desprendió de Alfredo y buscó penetrarme. Alfredo quedó al lado nuestro viendo cómo el pene de Kurt entraba y salía de mí, buscando mi boca, acariciándome, diciendo cosas. Sentí que demoraban sus orgasmos para gozar al máximo. Disfrutaban penetrándome alternativamente, tomando champagne, metiéndome los dedos para mantener mi excitación. Kurt se puso sobre mí moviéndose salvajemente. Lo abracé con mis piernas y disfruté sintiendo el roce de sus testículos, dejándolo entrar y salir, de un modo furioso y apasionado.

Mientras tanto Alfredo me besaba en la boca, tendido al lado nuestro.

—Vamos, nena, querías que te viera gozar con otro hombre y lo has logrado... Ahora danos otro orgasmo, Vera, que nuestro amigo sienta cómo te mojas... Te gusta su pene adentro... Vamos, Vera, no lo reprimas, déjalo salir, dale de tu leche...

La voz de Alfredo provocó su efecto. Me retorcí de placer mientras Kurt enloquecía:

—Estás muy caliente, nena, eres insaciable...

—Quiero a los dos adentro... —alcancé a gemir.

—Pensé que te había resultado algo violento —dijo Alfredo.

Kurt detenía sus embates, fascinado ante mi pedido.

—Oye mujer, creímos que quizás era algo muy fuerte —dijo Kurt.

—No, me encantó, háganlo de nuevo... —supliqué desesperada.

Entonces Kurt se desprendió de mí.

—Vas a dejar que devore ese culo, primero —dijo antes de empezar a besármelo. Yo no aguantaba más. Quería repetir esa gloriosa experiencia.

Al instante lo estaban haciendo. Me fascinaba la manera en que me disponían, ansiosos pero suaves. Alfredo se arrojó en la cama. Kurt me puso de pie e inclinó mi torso, separando bien las piernas, mientras seguía besándome el culo. Su lengua entraba en mi culo, caliente y húmeda. Me hacía gemir de placer.

Quería volver a ser penetrada por los dos, los veía tan calientes, me moría de ganas por disfrutar de esos dos penes a la vez. Kurt penetró mi culo mientras estábamos de pie y me fue dirigiendo hacia donde yacía Alfredo, presto a recibirme.

—No te sueltes de mí, qué culo tan caliente tienes...

Poco a poco nos fuimos acercando. Logré acomodarme sobre Alfredo sin que Kurt se desprendiera de mí. Volví a sentir ese fuego interno que me había provocado ese potente placer.

No podía controlar mis gritos. Con sus manos en mis tetas, Alfredo impedía que me tumbara sobre él. Mientras tanto Kurt, desatado, se movió salvajemente un largo rato. Mi excitación era increíble.

—¡Me gustan! ¡Adoro sus penes dentro de mí! ¡Me vuelven loca!

Alfredo me inclinó sobre él. Lo abracé, pegando mis tetas a su torso desnudo y transpirado.

El movimiento hizo que mi culo se abriera aún más, lo que redobló la pasión de Kurt. Alfredo me besó en la boca con un beso abrasador, empapado, asfixiante. Empecé un orgasmo larguísimo, podía sentir los dos miembros en mi interior, duros, en movimiento, dándome un placer que parecía no tener fin.

De a poco se fueron aquietando. Admiré su capacidad de control. Sus penes seguían duros y calientes en mi interior.

—No me han dado su leche... —les dije, agotada y feliz— Me han hecho gozar tanto... quiero que me bañen ahora...

—Vas a tomarte toda nuestra leche, eso es lo que una puta como tú se merece —jadeó Kurt, sacando su pene del calor de mi culo.

Alfredo imitó el movimiento. Me tiraron boca arriba sobre la cama con fuerza. Alfredo se arrodilló cerca de mi cara, masturbándose a toda velocidad, jadeando enloquecido. Empezó a eyacular emitiendo un largo y profundo quejido. Regó mi cara gritando de placer.

–Tómatela toda, Vera... Ahí la tienes, vamos, trágatela...

Lo obedecí. Mientras tragaba la leche que salía violenta del pene de Alfredo sentí que Kurt, al otro lado, regaba mis tetas con su semen. De esta manera llegó también a su orgasmo y su leche caliente, abundante, cubrió mi cuerpo. Yo me sentía agotada. Bebí un trago y caí profundamente dormida.

una fiesta muy especial

Una fiesta muy especial

CAPÍTULO 9

Vera

mi violento despertar sexual

Cuando desperté, estaba sola. Kurt y Alfredo ya habían partido para Zurich.

Me observé en el espejo del baño largamente. Parecía otra. Tomé una ducha, disfrutando en soledad en la cómoda habitación. El agua que recorría mi cuerpo me daba una agradable sensación de bienestar. Recordaba los placeres vividos en los recientes días. Por primera vez sentía que mi cuerpo me pertenecía, pero curiosamente había llegado a esa conclusión después de entregarlo a otros.

Me arreglé, demorándome otra vez frente al espejo. Al salir del baño, ya cambiada, busqué mi bolso en la habitación. Estaba en una mesita baja junto a los sillones. Allí, junto a él había una elegante tarjeta de invitación a una fiesta de máscaras. Noté que no estaba dirigida a nadie en particular...

¿Sería de Kurt? ¿La habría dejado para mí?

La idea de asistir empezó a rondar en mi mente. Sonaba muy prometedor. Era la oportunidad de celebrar la partida de mis compañeros de trabajo, a quienes no veía más en la oficina como molestos testigos de mi transformación, y era también una oportunidad de celebrar mi cambio de actitud frente al erotismo.

Además, me gustaba mucho que la fiesta fuera de disfraces. La idea de ser otra me rondaba desde que todo esto había comenzado. Era ese sentimiento que percibía al observarme en el espejo. Y era también una manera de no reprimirme frente a las nuevas sensaciones: yo era otra cuando me desataba. Era como si pudiera participar del desenfreno y a la vez observarme como una espectadora.

$\mathcal{L}$a semana transcurrió tranquila, pude serenar mi mente ocupándome de los proyectos de la oficina y haciendo algo de ejercicio por la tarde.

Finalmente llegó el día de la fiesta. Tras pensarlo unos días me había decidido a ir con total naturalidad, como si efectivamente la invitación me hubiera sido enviada. La fantasía de las máscaras me entretuvo en las noches imaginando lo que podía despertar en los otros.

Decidí usar un vaporoso vestido de gasa color cobre, el cual llevaría directamente sobre la piel, sin visos ni lencería. Me sentía muy sexy, con esa magnífica sensación de la suave textura de la tela, que traslucía mi cuerpo, ese cuerpo que había aprendido a descubrir y que ahora me excitaba lucir abiertamente.

El antifaz que había elegido era bellísimo, al estilo de los carnavales venecianos, con lujosas plumas y brillos que destacaban muy bien mis ojos. Decidí realzar mis labios con un brillo tentador y me descubrí excitada con mi propia imagen, esa mujer que había descubierto dentro de mí. Me sentía hermosa y segura, y salí resuelta a conquistar esa noche.

La fiesta era en un lujoso apartamento situado en la Brickell Avenue. Había música y mucha gente. Hasta donde alcanzaba mi vista, el enorme living estaba lleno de gente que bailaba. Admiré la elegante decoración del lugar y los bellos trajes y vestidos que todos usaban. Se olían exquisitos perfumes. Hombres y mujeres se veían alegres con sus máscaras y antifaces, algunos más sobrios, otros más osados, pero todos misteriosos e incitantes.

Empezó a sonar música del Caribe y comenzamos a movernos al ritmo de la salsa. Un hombre atractivo, de traje oscuro y antifaz en terciopelo negro, llegó directamente hasta mí y me invitó a bailar. Seguía el ritmo de una manera deliciosa, era un placer dejarse llevar por su cadencia. Su pierna entreabrió las mías y se impuso, mientras su cuerpo todo iba llevándome con una gracia infinita y viril.

Bailamos un largo rato, apretados uno contra otro. Con el ritmo de la música fuimos recorriendo distintos lugares, sin despegarnos nunca. Su calor y el mío eran uno. La danza, el champagne, el clima sensual y alegre, me contagiaban su felicidad. Había muchas parejas bailando alrededor de nosotros. Por instantes creí notar que a todos, quien más quien menos, les pasaba lo mismo que a nosotros. Por sobre el hombro de mi compañero vi parejas que se besaban al ritmo del baile. Un joven acariciaba las nalgas de su pareja sin disimulo, mientas ella le lamía el cuello. Una oriental delgada y sonriente bailaba con dos hombres, uno la sujetaba por delante y el otro por detrás, bien juntos los tres.

—Los dueños de casa tienen una tradición, que todos sus amigos apreciamos profundamente —me explicó mi partenaire cerca de mi oído—. Celebran el aniversario de su casamiento con una gran fiesta, en donde todo está permitido. Lo mejor no comenzó todavía.

De pronto se apagó la luz. Mientras todos deteníamos la danza, una voz en off empezó a salir de los paneles de sonido.

—Bienvenidos a la fiesta de Lisa y David. Quienes han venido el año anterior, saben que esto está por empezar. Deseamos que el show sea de su agrado. Para eso, lo único que pedimos es que disfruten, que lo gocen realmente. ¡Busquen un lugar donde estar cómodos! La consigna es que nadie, absolutamente nadie, puede estar solo mientras dure el espectáculo. Así que busquen un acompañante, el que tengan u otro que les guste.

Sólo hay dos cosas que deben recordar a partir de ahora: una, que está prohibido no participar del juego. Y la segunda, ¡es que deben disfrutarlo al máximo!

Se encendieron unas luces tenues. La gente se ponía en pareja, o de a tres, incluso de a cuatro. Se escuchó una música diferente, más tranquila y sensual.

La gente se sentaba en los sillones y en almohadones que los camareros repartían. Mi diestro acompañante me llevó suavemente de la cintura a un sillón. A nuestro lado una bella mujer bebía una copa de champagne, deleitada con la escena general. Llevaba apenas un saco entallado, a modo de microves-tido. Su antifaz estaba cubierto de plumas rojas, lo cual resaltaba su boca de un modo turbador.

La situación era de lo más excitante y seguramente él llegó a percibirlo ya que me besó, al principio suavemente y luego, al notar que yo respondía, con más pasión. Su boca sabía a champagne y su perfume, que ahora percibía aún más cercano, me resultó curiosamente familiar. Sentí que lo deseaba desde mis más profundas fantasías.

Lo besé ardientemente y mi cuerpo ya empezaba a moverse con espasmos de placer. Sobre la sutil tela de mi vestido, besó mis pezones, esto hizo que mi espalda se arqueara de placer, con lo cual quedé recostada sobre la mujer que estaba a mi lado. Ella, lejos de apartarse, intercambió con mi compañero una mirada cómplice y se sumó al juego. Suavemente comenzó a besar mi cuello y sus manos hábiles se metieron por mi escote con el mismo delicado roce de la seda. Su lengua jugaba con los lóbulos de mis orejas y sentía su respiración anhelante, profunda, sensual.

Mi compañero, al verme absorta de placer, decidió redoblar sus estímulos y acarició mis piernas con las ardientes yemas de sus dedos desde mis sandalias hasta la humedad de mi entrepierna.

Al descubrir que no llevaba interiores, pareció excitarse aún más y se acercó para que mis manos comprobaran una erección impresionante. Me dejó hacer, y profundamente subyugada abrí su pantalón para acariciar su pene rígido y latente.

Entre tanto, sus manos exquisitas, retardaban mi orgasmo acariciando mi concha sin llegar a estimularme directamente. Este ardiente suspenso me volvía loca, creí que explotaría ahí mismo en un orgasmo delicioso.

–Estás que ya no puedes, pídele que te penetre... –me dijo mi compañera al oído con una excitación tan afín con la mía.

La humedad entre mis piernas se sentía ardiente, deseaba sentirlo dentro de mí y se lo pedí, ansiosa.

–¡Cógeme, cógeme ahora, ya no doy más!

Una sonrisa maliciosa asomó en su boca viril. El disfrutaba con ese deseo animal que había provocado en mí. Me miraba extasiado, mis piernas abiertas pedían desesperadas más y más. Su pene entre mis manos estaba durísimo y quise darle placer hasta que él mismo ya no aguantara más. Me arrodillé frente a él y comencé a lamerlo intensamente, tomándolo en la base con una de mis manos y masajeando sus huevos con la otra. Él parecía entregado a mis juegos. Sumida al placer de disfrutar de ese miembro, apenas noté que la mujer que nos acompañaba se había ubicado detrás de mí. Había subido la falda de mi vestido y mis nalgas estaban expuestas a sus caricias.

Con las puntas de sus uñas recorría suavemente mis curvas y esto me volvía loca de placer. Sentía sus pechos, sus pezones contra mis nalgas. Nuevamente una mirada entre ellos pareció decidir lo que seguía.

Él tomó suavemente mi cabeza entre sus manos y metió su pene en mi boca como si me penetrara, lo sentí profundo, creí que no podría respirar. Al mismo tiempo ella separaba mis piernas y con su lengua me penetraba exquisitamente la vagina. Tuve un orgasmo potente, infinito. Mis rodillas temblaban de placer.

Parecían divertidos con las sensaciones que despertaban en mí y comenzaron a tocarse también entre ellos. La mujer se recostó boca arriba con sus blancos y bellos pechos al descubierto, él retiró con suavidad su mínima bikini, abrió sus piernas tomándolas de los tobillos y hundió el pene en su vagina, de una sola estocada.

Ella parecía enloquecer de placer, no dejaba de gemir y su boca se veía tentadora y sensual. Me animé a besarla aturdida de placer y el contacto fue exquisito. Su lengua y la mía jugaban al ritmo de los embates de aquel hombre que la poseía salvajemente. Su respiración me excitaba, aquella escena era increíble. Yo, extasiada, acariciaba sus pechos y ella los míos. Se sentía delicioso.

Excitado con el placer que nos dábamos, él decidió penetrarme con sus dedos. La sensación fue maravillosa. Le pedí que lo hiciera también con mi culo y sus dedos comenzaron a entrar y salir, con un ritmo que me volvía aún más loca de placer. Nuestra compañera había logrado varios orgasmos y cada uno nos excitaba más a los tres.

Cuando él sintió que yo estaba por acabar nuevamente retiró sus dedos y me sentó sobre su pene, penetrándome profundamente en la vagina. Me resultó aún más delicioso de lo que había pensado. Se quedó quieto un instante, disfrutando del placer que me provocaba sentirlo dentro de mí y luego comenzó a moverse lentamente apretándome contra su pecho.

Me hizo acabar dos, tres, cuatro veces. Me sentía desatada.

Nuestra compañera, quiso devolver a tan gentil amante todas las atenciones que nos había brindado y me dijo al oído:

—Dejemos que acabe en nuestras bocas, ¿te parece?

La idea me supo genial y rápidamente nos ubicamos a sus pies, ansiosas de chupar ese pene que nos había dado tanto placer. Alternadamente metíamos aquel miembro en nuestras bocas y aquello lo volvía loco de placer. Tuvo un orgasmo animal, profundo, eterno. Su leche entró deliciosa a nuestras bocas y aún excitadas nos besamos largamente compartiendo juntas aquel final glorioso.

Perdí la noción del tiempo. Cuando abrí mis ojos, ella se había ido y él descansaba en el sillón, extenuado.

Me costó levantarme ya que mis rodillas temblaban. Decidí arreglarme un poco. Saludé a mi atento compañero con una sonrisa, y busqué el baño, extasiada por mis sensaciones recientes.

El resto de los invitados continuaba absorto en sus propias pasiones, parejas, tríos, cuartetos, todos entrelazados y gimientes. Fue increíble mirar a mi alrededor. La gente buscando placer en sillones, en el piso, intentando pasos de danza, movidos por una sensualidad que había quedado libre y parecía no querer tener fin.

Lentamente fui recuperando la noción del tiempo y de mí misma. Intenté no pensar en nada y perdurar en el clima de libertad imperante. Ya tendría tiempo de asimilar lo vivido. Sorteé a los amantes y subí por una escalera lateral despacio, para no interrumpir a nada ni a nadie.

En el baño me entretuve acomodando los pliegues de mi vestido y refrescándome la cara, mi piel parecía seguir ardiendo. Me sentía cansada y a la vez llena de energías. Estaba mirando mi imagen en el espejo, cuando se abrió la puerta del privado. Por el rabillo del ojo alcancé a ver el exquisito saco entallado y en su bolsillo el antifaz de plumas rojas que hace unos instantes había compartido toda la escena de placer. Cuando se paró a mi lado apenas pude contener la sorpresa.

¡Se trataba de Sharon, mi vecina!

Una sonrisa cómplice me dejó claro que ella me había reconocido mucho antes de verme sin el antifaz. Me sentí algo avergonzada. Ella notó mi gesto y con un dedo cerró mis labios antes de que pudiera emitir palabra.

—Fue una experiencia fantástica Vera, sólo debes

pensar en lo bien que la pasamos los tres.

Allí recordé a nuestro compañero y apenas llegué a pronunciar el nombre de Mark.

—Sí, el mismo —dijo Sharon orgullosa de su hombre—. ¿Acaso no es un amante exquisito?

—¿Acaso no lo somos los tres? —le dije algo sonrojada con mis propias ideas

—¡Brindo por tu llegada a nuestras vidas, Vera! —dijo Sharon y me dio un beso corto en la boca.

Luego se acomodó el pelo y se puso nuevamente el antifaz, me guiñó un ojo a través del espejo y salió.

Me miré nuevamente en el cristal, aún tenía un gesto de sorpresa. Quién diría que yo era la misma mujer de unas semanas atrás. Los cambios fueron muchos, pero ahora me daba cuenta que no había dejado de ser yo misma, sino que había descubierto y desatado a una Vera que siempre había llevado en mi interior. Me sentí fiel a mí misma y esa sensación fue quizá la más excitante de todas.

Me puse nuevamente el antifaz y me guiñé un ojo. Eso me hizo reír. Me gustaba esta nueva Vera.

Mi violento despertar sexual había dejado una huella profunda en mi vida. Afuera un mundo de nuevos placeres me esperaba.

Así salí a descubrir los secretos de mis próximas noches...

mi violento despertar sexual

Índice